Romain s'ennuie

© Hachette Livre, 2012.

Conception graphique du roman : Audrey Thierry.

Hachette Livre, 43, quai de Grenelle, 75015 Paris.

Romain s'ennuie

Raconté par Katherine Quénot

hachette
JEUNESSE

On ne s'ennuie jamais

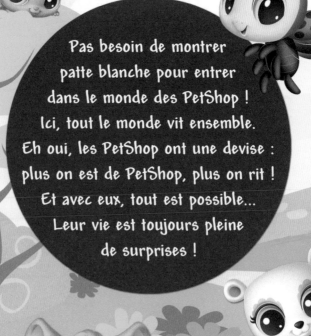

Pas besoin de montrer
patte blanche pour entrer
dans le monde des PetShop !
Ici, tout le monde vit ensemble.
Eh oui, les PetShop ont une devise :
plus on est de PetShop, plus on rit !
Et avec eux, tout est possible...
Leur vie est toujours pleine
de surprises !

avec les PetShop !

Les histoires racontées dans
ce livre ont été traduites
du langage des PetShop

Les héros des histoires

Romain, le chat

Il y a une chose que Romain, le chat jaune, trouve passionnante dans la vie, c'est de s'ennuyer. Il trouve que les PetShop ne s'ennuient pas assez. « Quand on s'ennuie, écrit-il dans ses livres, c'est très bien car on est seul avec soi-même et on découvre qui on est. Et puis, c'est quand on ne fait rien que les idées arrivent. » Donc, Romain conseille à tous les PetShop de s'ennuyer. Mais voilà que le chat philosophe n'a plus rien à dire sur le sujet et qu'il commence... à s'ennuyer. C'est horrible !

Bob, le kangourou

Bob, le kangourou, est le chef d'une petite bande de PetShop très sportifs : Hugo, un cheval, son meilleur ami, Sylvain, un singe, le boute-en-train du groupe, Roméo, un chat, toujours d'accord pour tout mais un peu lent au goût de Bob, et deux filles, Pauline, une tortue, et Ludivine, une souris, aussi gentilles que jolies. Bob est tellement dynamique qu'il entraîne toujours le groupe derrière lui mais, à force, le kangourou est devenu un peu autoritaire et capricieux. Ses amis doivent toujours suivre sans broncher...

Enfin ! Étienne lui a dit « oui » : il veut bien se laisser passer l'alliance à la patte ! Mélodie, une très jolie biche romantique, annonce la grande nouvelle à Nora, une petite chienne chez qui elle travaille. Son tigre chéri l'a enfin demandée en mariage. Il en a fallu du temps, depuis des années qu'ils sont ensemble ! Il est vrai que pour Étienne, le mariage n'est pas un événement aussi important que pour Mélodie. La biche trouve d'ailleurs que son tigre manque parfois d'un poil de romantisme...

Mélodie, la biche

Romain

J'aime m'ennuyer : c'est le titre du dernier livre de Romain sur l'ennui. Avant celui-là, le chat philosophe en a déjà écrit dix autres pour parler de son amour de l'ennui. Assis à son bureau, il vient de relire son manuscrit encore une fois en espérant que de nouvelles idées vont lui venir. D'habitude, quand le chat a fini un livre sur l'ennui, il en commence un autre immédiatement. Mais cette fois-ci, c'est la panne sèche : plus rien ne lui vient !

En espérant faire venir l'inspiration, Romain relit encore une fois la conclusion de son livre : « Le PetShop d'aujourd'hui n'a plus le temps de s'ennuyer, car il a trop d'activités. Ça commence dès le berceau : le bébé PetShop est envahi de joujoux qui font du bruit et de mobiles son et lumière dignes des discothèques les plus branchées. Puis, quand le PetShop est devenu grand, ce sont les jeux, les sorties, les boîtes de nuit, le sport, les fêtes d'anniversaire, les concours de saute-mouton ! À un moment ou à un autre, le PetShop doit se retrouver seul avec lui-même, c'est indispensable pour évoluer. »

En relisant sa dernière phrase, Romain sent un petit picotement dans son estomac. Se retrouver seul avec soi-même, sans un livre à écrire, c'est un peu ce qui se passe pour lui tout à coup. En fait, pour la première fois de sa vie, Romain s'ennuie et il réalise que ce n'est pas drôle du tout. Écrire sur l'ennui, c'est une chose, s'ennuyer, c'en est une autre…

En plus, aujourd'hui, on est dimanche, un jour où tous les PetShop s'amusent, sauf lui, puisqu'il travaille tous les jours, dimanche compris. « Bon, se dit Romain dans un accès de courage, je vais essayer d'écrire ce que je ressens. Ça va m'occuper et je m'ennuierai moins. Et peut-être que ça fera un nouveau livre ! »

Au grand soulagement du chat, les mots lui viennent facilement :

« La vie d'un PetShop oscille comme un pendule de droite à gauche, entre l'ennui et l'ennui », écrit-il. Et aussi : « Le PetShop est livré à lui-même, surtout le dimanche, où il ne sait que faire. » Romain relit sa phrase et, soudain, il éclate en sanglots. Il hait le dimanche ! Tout le monde s'amuse le dimanche, sauf lui ! Le pauvre chat éteint son ordinateur. Impossible de continuer à écrire, ça le déprime trop…

« Que faire ? » se demande Romain en ravalant ses larmes. En plus, il ne connaît personne dans la ville des PetShop, à part son éditeur, le chien Jérémie. Il n'a jamais eu le temps de se faire des amis, tant il est occupé depuis des années à écrire sur les bienfaits de l'ennui ! Comme on est dimanche, Jérémie ne travaille pas, mais peut-être acceptera-t-il quand même de le recevoir. Prenant son courage à deux pattes, Romain décroche son téléphone. Jérémie comprend immédiatement à la voix de Romain que quelque chose ne va pas...

— Apporte-moi ton manuscrit maintenant ! propose gentiment le chien, alors qu'il avait prévu d'aller au cinéma.

En sortant de chez lui, son manuscrit sous le bras, Romain remarque que sa boîte aux lettres est pleine de prospectus. Il ne les regarde jamais, mais pour une fois, comme il s'ennuie, il y jette un coup d'œil. Ce sont des invitations à ces soirées dont tous les PetShop raffolent : soirée bingo, soirée domino, soirée paella, soirée costumée, soirée tango, soirée élection de Miss PetShop...

Le chat hausse les épaules. Il n'aime pas ce genre de fêtes. Elles sont bien trop superficielles ! Lui a besoin d'activités intellectuelles, ce ne sont pas des distractions qui vont le divertir...

En traînant la patte, Romain se dirige vers l'arrêt de bus. Les minutes passent, le bus se fait attendre. D'autres PetShop attendent aussi mais, bizarrement, ils n'ont pas l'air de s'ennuyer, ils plaisantent même entre eux... Il faut croire qu'ils n'ont jamais lu les livres de Romain sur les vertus de l'ennui ! Quand le bus arrive enfin, au bout de vingt longues minutes, Romain est au bord du désespoir. Jamais il ne s'est ennuyé autant. Même un rat mort s'amuse davantage !

— Encore un livre sur l'ennui ? demande Jérémie quand le chat arrive chez lui.

— Sur quoi d'autre veux-tu qu'on écrive ? miaule Romain d'un air sinistre. La vie est d'un ennui fini, ou plutôt infini...

Jérémie regarde le chat, étonné :

— C'est nouveau ! Tu n'as jamais eu l'air de t'ennuyer en écrivant tes livres.

— Oui, mais maintenant, je n'ai plus rien à écrire et je m'ennuie.

— Tu as toujours dit que c'était indispensable de s'ennuyer…

— Euh, pour les autres, reconnaît le chat, gêné.

— Eh bien, dit Jérémie, peut-être que tu vas pouvoir enfin expérimenter ce que tu décris. En t'ennuyant, de nouvelles idées vont surgir dans ta tête…

— J'ai des doutes, répond Romain, je m'ennuie trop. Depuis ce matin, je cherche à tuer le temps !

— Est-ce qu'il faut tuer le temps

comme si c'était un ennemi ? répond Jérémie, également philosophe à ses heures.

—Je ne sais pas, répond Romain d'un ton lugubre, je crois que je m'ennuie trop pour avoir des idées. Et puis, depuis que je m'ennuie, les larmes me montent aux yeux, c'est horrible !

Après le départ de Romain, Jérémie est très embêté. Il aime bien ce drôle de chat taciturne, il n'a pas envie de savoir qu'il

pleure tout seul dans son coin…
Soudain, à force de se gratter la
tête, le chien a une idée : il va offrir
à Romain une entrée au *Lapin
Land*, le nouveau parc d'attractions qui vient d'ouvrir dans la
ville des PetShop.

Quand Jérémie sonne à sa porte,
Romain est très soulagé de le voir.
D'habitude, quand il n'écrit pas, il
joue aux échecs avec son ordinateur ou il lit des livres très compli-
qués, mais tout lui tombe des
mains. Tout, absolument TOUT
l'ennuie.

— Un ticket pour le *Lapin Land* ?
Oh ! C'est gentil d'avoir pensé à moi !
s'exclame-t-il en retrouvant soudain
le sourire. Tu viens avec moi ?

— Non, je dois aller travailler, répond Jérémie. Mais tu vas voir, tu vas beaucoup t'amuser. On ne peut pas s'ennuyer : c'est garantie « zéro ennui » ou tu es remboursé. Le *Lapin Land* est un parc d'attractions génial, où il y a les attractions les plus dingues du monde. La meilleure, c'est celle où tu montes sur des patins à roulettes au sommet des oreilles d'un lapin géant qui fait trois cents mètres de hauteur (plus que la tour PetShop, tu te rends compte ?). Ensuite, tu es lâché dans le vide jusqu'à son ventre où tu rebondis comme sur un trampoline qui t'éjecte sur ses pattes... Et là, tu descends à une vitesse de 140 km à l'heure, avant d'être lancé sur un autre lapin et tu recommences tout, mais sur la tête, cette fois-ci... Tu vois, les sensations fortes sont garanties. Si tu t'ennuies, il n'y aura plus rien à faire pour toi !

— C'est vrai, répond Romain en cachant sa déception que Jérémie ne vienne pas avec lui.

Le lendemain matin, Romain, plein de bonne volonté, met son short et sa casquette. Il parcourt le trajet en RER et arrive à la station de Lapin Val où se trouve le parc. Tout de suite, il se dirige vers l'attraction dont lui a parlé Jérémie. Son ami lui a dit qu'il y aurait peut-être une file d'attente et que ce serait le seul moment où il pourrait s'ennuyer un peu (quoique des PetShop soient là pour vous distraire en vous arrosant avec des pistolets à eau). Mais non, il n'y a même pas de queue, et donc pas d'arrosage au pistolet à eau. Déçu, Romain enlève ses sandales et enfile les patins à roulettes qu'on donne à chaque visiteur. On le dirige vers les rails et c'est parti ! Tout se passe exactement comme Jérémie l'a décrit, ce qui est donc sans surprise, et par conséquent très ennuyeux. À l'envers, à l'endroit, Romain passe d'un lapin géant à un autre, et finalement il ne voit même pas comment il arrive au dernier, car il s'est endormi quelque part en route…

Romain quitte l'attraction en bâillant et en s'ennuyant plus que jamais. Il essaie ensuite la carotte-catapulte qui projette les visiteurs jusqu'à une mini-planète artificielle où, en apesanteur, il fait des bonds de géant avant de rebondir sur un toboggan qui le ramène au sol où il se réveille en sursaut.

Le pauvre chat s'ennuie tellement qu'il n'a pas le courage de faire toutes les attractions. Quand il est de retour chez lui, il est ravi. On est si bien chez soi ! Quand, soudain, le téléphone sonne. C'est Jérémie, qui a hâte de savoir si Romain s'est bien amusé :

— Euh, dit Romain qui ne veut pas faire de peine au chien, oui oui…

Mais Jérémie connaît Romain par cœur.

— Dis-moi la vérité…

— Eh bien, je crois qu'on peut demander à être remboursé, répond le chat. J'ai peur d'être un cas désespéré !

Une fois le téléphone raccroché, Jérémie se gratte de nouveau la tête pour faire venir une idée. Rien ne lui vient, malheureusement, quand un autre de ses auteurs arrive chez lui. C'est Stéphanie, une poissonne. Les livres de Stéphanie sont tout le contraire de ceux de Romain. Ils parlent de la chance et de la joie d'être un PetShop. *Tout le monde voudrait être un PetShop* et *Heureux comme un PetShop dans l'eau* ont été de véritables best-sellers. Évidemment, rien de comparable avec les livres sur l'ennui de Romain qu'aucun PetShop n'a jamais eu envie d'acheter…

— Bonjour, Jérémie. Ça roule ?

— Euh, répond Jérémie, ça roulerait mieux si je savais quoi faire pour ton collègue Romain… Figure-toi qu'il s'ennuie !

— C'est ce qu'il voulait, non ? répond Stéphanie en battant des nageoires.

— C'est ce qu'il écrivait, pas ce qu'il *voulait*. Nuance…

Stéphanie réfléchit un moment :

— Tu sais, dit-elle, penser aux autres est un excellent moyen d'oublier qu'on s'ennuie. J'ai un ami qui a besoin d'aide. Marc, tu le connais ? Un jeune rat adorable qui habite avenue de l'Opéra. Il voudrait devenir bibliothécaire, mais il faut passer un examen de culture générale et il ne sait rien du tout ! Il a besoin d'un professeur…

Dès le lendemain, Marc se présente au domicile de Romain. Le chat philosophe a un mouvement de recul en voyant apparaître ce rat qu'il ne connaît pas et qui, en plus, lui demande de l'aider…

— Mais ça va prendre du temps de tout t'apprendre !

— Ah bon ? Vous travaillez sur un livre en ce moment, M'sieur ?

— Oui ! répond Romain. Enfin, peut-être, je ne sais pas encore, bougonne-t-il. Bon, entre, on va voir ce qu'on peut faire…

Bientôt, les deux PetShop sont installés dans le bureau de Romain. Le chat pose des questions au rat qui doit écrire les réponses sur un cahier.

— Première question, demande Romain : « Comment s'appelaient les premiers PetShop qui ont peuplé la Terre ? »

— Fastoche, M'sieur ! répond

Marc en écrivant sur sa feuille. Ce sont les PetShop de Cro-Mignon !

— La réponse est juste, dit Romain. Mais, dis donc, remarque-t-il en montrant la feuille avec sa griffe, ce sont des pattes de mouche, ça ! Applique-toi, s'il te plaît.

— D'accord, M'sieur.

Romain pose une seconde question, un peu plus difficile :

— Complète cette expression : « Rien ne sert de courir, il faut… »

— Prendre un vélo ! répond Marc.

Romain éclate de rire :

— C'était : « Il faut partir à point », mais ta réponse est bonne aussi !

Petit à petit, le chat augmente

la difficulté, mais très progressivement, car il ne veut pas que son élève se décourage. De temps en temps, il lui donne des explications ou il corrige une faute d'orthographe, mais toujours très gentiment. En fait, c'est un plaisir de donner des leçons à ce rat qui écoute très attentivement et ne demande qu'à apprendre. Mais, à un moment donné, la petite voix timide de Marc s'élève :

— Il faut que je rentre, M'sieur, il est tard !

Et c'est alors que Romain s'aperçoit qu'il fait presque nuit dehors. Il n'a pas vu la journée passer !

— Merci, M'sieur ! dit Marc en partant. Je pourrai revenir ?

— Je t'attends demain sans faute, répond Romain, mais pas avant dix heures, j'ai des choses à faire.

En fait, ce que Romain doit faire, c'est préparer des leçons et des devoirs pour Marc. Il a plein d'idées et veut trouver des exercices qui amuseront son élève. Bientôt, Marc passe toutes ses journées chez Romain et il devient un véritable rat de bibliothèque. Inutile de dire qu'il réussit son examen de bibliothécaire haut la patte ! Rapidement, le rat et le chat deviennent les meilleurs amis du monde, et maintenant c'est Marc qui apprend des choses à Romain, car le rat sait tout faire de ses pattes ! Un jour, il apporte ses pinceaux et recouvre les vilains murs marron d'une belle peinture blanche. Le lendemain, il arrive avec un gros poste pour écouter de la musique et les deux PetShop dansent toute la soirée. Le surlendemain, ils vont ensemble à une soirée tango et s'amusent comme des fous. Et vous savez quoi ? Jérémie attend avec impatience le nouveau livre de Romain, intitulé *L'ennui, suite et fin…*

Bob

C'est l'hiver, une des saisons
préférées de Bob et de son
groupe d'amis parce qu'ils partent
toujours faire du ski. Mais cette
année, la neige se fait attendre, au
grand agacement du kangourou.
C'est incroyable, cette neige qui

ne tombe pas quand elle devrait tomber ! Comment s'organiser si la nature fait n'importe quoi ?

— Un peu de patience, Bob ! lui conseille Hugo. Ça va venir…

— Oui, mais quand ? On devrait déjà être sur les pistes depuis une semaine.

— Eh bien les vacances seront décalées, c'est tout !

— Ce n'est pas ce que j'avais prévu. Ça m'énerve !

Le lendemain, la neige accepte enfin d'écouter le kangourou. En quelques heures, Chameaunix, la station de ski où vont toujours Bob et ses amis, est recouverte d'un épais manteau blanc. Le kangourou sort son téléphone qui ne quitte pas sa poche ventrale. En une heure, il passe à peu près cinquante coups de fil. Après avoir appelé ses amis pour vérifier qu'ils étaient toujours partants, il téléphone à une bonne dizaine d'agences de location avant de trouver le chalet idéal, réserve les billets de train ainsi que le taxi pour aller jusqu'à la station, et enfin repasse un coup de fil à tout le monde pour leur donner rendez-vous à la gare, devant leur wagon, à midi précis (c'est-à-dire bien en avance car il y a toujours un PetShop en retard, en général le chat Roméo).

Cinq minutes avant l'heure dite, tous les PetShop sont là, vêtus de leurs doudounes et chaussés de leurs après-skis. Seul Roméo manque encore à l'appel :

— Toujours en retard, c'est agaçant à la fin ! s'impatiente le kangourou en sortant son téléphone de sa poche.

Bob est déjà en train de s'énerver contre Roméo parce que son téléphone est sur répondeur, quand le chat arrive… à midi pile ! Il embrasse tout le monde, puis, dans un joyeux brouhaha, tous les PetShop s'installent dans le train.

— Vous avez vos sandwichs ? demande Bob.

— Oh zut ! J'ai complètement oublié ! s'écrie Ludivine en se frappant le front avec sa patte.

— Je partagerai avec toi, la console Pauline.

—Pas la peine, dit Bob en sortant plusieurs sandwichs de sa poche. J'étais sûr que ça allait arriver...

— Poil au nez ! rigole Sylvain. Voilà un kangourou qui n'a pas la langue dans sa poche… Par contre, il a des sandwichs !

Après le déjeuner, Bob propose de faire un jeu de devinettes, ce que tout le monde accepte avec empressement. Les PetShop ne voient pas le temps passer et, tout à coup, ils aperçoivent les montagnes enneigées. Hourra ! Ils sont arrivés !

— À moi les pistes noires !

s'écrie le kangourou, très excité, en se dépêchant d'avancer dans le couloir pour être le premier. Cette année, je me mets au snowboard !

Le train s'arrête, on entend le bruit des portières qui se déverrouillent. Bouillant d'impatience, Bob abaisse la poignée, ouvre la portière d'un coup d'épaule mais, emporté par son élan, le kangourou trébuche sur le marchepied et tombe, les quatre fers en l'air…

Les yeux ronds, les autres

PetShop voient soudain leur ami par terre en train de se tordre de douleur.

— Ma patte ! J'ai trop mal !

Le pauvre kangourou ne peut plus marcher. Il a dû se faire une fracture ou une foulure... Les PetShop tiennent conseil, et pour une fois, on ne demande pas son avis à Bob. Malgré ses cris, on l'assoit tant bien que mal sur le dos de Hugo pour aller jusqu'au taxi. Les garçons décident d'accompagner le blessé aux urgences, tandis que les filles iront déposer leurs bagages au chalet.

— Si je ne peux pas faire de snowboard, il y aura un meurtre ! prévient le kangourou, tandis que ses amis l'installent avec mille précautions sur le siège avant.

— Ce n'est pas moi qui t'ai fait un croche-patte, c'est Roméo ! plaisante Sylvain.

— Ça ne me fait pas rire, dit Bob en grognant.

— Je sens que ça ne va pas être de la tarte, glisse Ludivine à Pauline, quand les portes du taxi claquent. Je te parie qu'il va vouloir annuler les vacances…

— Ah non ! Pas question ! s'écrie Pauline.

Peu après, le taxi dépose les filles au chalet qui se trouve juste en bas des pistes. Encore une fois, Bob a bien fait les choses… Par contre, les filles sont un peu étonnées de constater qu'il n'y a qu'une seule chambre – grande et belle – et un dortoir minuscule...

— Tu crois que c'est pour qui, la chambre ? demande Pauline.

— Devine ! répond Ludivine en levant les yeux au ciel.

En attendant le retour des garçons, les deux filles décident de préparer un bon repas. Quelle chance, il y a un service à raclette dans un des placards de la cuisine du chalet ! Bob adore la raclette et on peut espérer que ça pourra lui rendre un peu de sa bonne humeur. La tortue et la souris vont acheter du fromage à raclette, des pommes de terre et de la charcuterie, puis elles dressent une jolie table avec le service à raclette au milieu.

Quand le blessé revient, en début de soirée, après avoir passé trois heures aux urgences en en faisant voir de toutes les couleurs à ses pauvres copains, il a des béquilles et sa tête des (très) mauvais jours.

— C'est une vilaine entorse, annonce Hugo en soupirant. Pas de chance, vraiment… On lui a mis une bande pour maintenir sa cheville, mais le médecin lui interdit de poser la patte à terre pendant au moins dix jours…

— C'est nous qui n'allons pas rigoler pendant au moins dix jours ! s'esclaffe Sylvain.

Bob fusille le singe du regard,

puis il se traîne avec ses béquilles jusqu'à un fauteuil sur lequel il se laisse tomber.

— Vous avez faim, les garçons ? lance Pauline en essayant de prendre un ton enjoué. On t'a préparé une raclette, Bob !

Le kangourou relève à peine la tête :

— M'en fiche, de la raclette ! Ce que je veux, c'est faire du snowboard.

Les autres PetShop se regardent. Personne ne sait quoi répondre.

— Moi aussi, je veux faire du snowboard ! trépigne Sylvain en imitant le kangourou. Mais pour le moment, je crève de faim, ajoute-t-il en s'approchant de la table.

Je branche l'appareil à raclette ?

— Moi, je n'ai pas faim, grogne Bob. Et vous m'énervez tous, spécialement Sylvain ! Vous pouvez vous renseigner sur les horaires de train ? Je voudrais repartir dès ce soir.

— Dès ce soir ? répètent les PetShop d'une même voix.

— Demain matin au plus tard.

Hugo secoue sa crinière :

— Sois raisonnable ! Tu ne peux pas te déplacer tout seul avec tes béquilles…

— Qui a dit que je devais repartir seul ? Tu viens avec moi, j'espère ?

Le cheval en reste sans voix.

— Eh bien… bredouille-t-il, embarrassé.

— Que voudrais-tu que je fasse exactement si je restais ici ? reprend Bob, furieux. Vous regarder skier toute la journée par la fenêtre ? Compter les flocons de neige qui tombent ? Éplucher les patates ?

— Bon, d'accord, répond Hugo, je comprends… Je repars avec toi demain matin…

Mais Ludivine ne l'entend pas de cette oreille :

— Moi, je trouve que tu as une très bonne idée, Bob : tu pourrais te rendre utile en épluchant les patates ! Ou écosser les petits pois. Par contre, il est hors de question que Hugo se sacrifie pour toi.

Tu te rends compte que tu veux l'obliger à renoncer à ses vacances ? Si c'était le contraire, tu le ferais ?

— Oui, je le ferais ! ment Bob.

— Hum, répond Ludivine, j'ai des doutes... En tout cas, si Hugo veut repartir avec toi, alors je propose qu'on reparte tous.

— Bon, si vous insistez, répond Bob avec un grand sourire, d'accord. On repart tous !

Le silence tombe. Les PetShop regardent Bob, le souffle coupé. Jamais ils n'auraient pensé qu'il allait accepter ! En voyant la tête qu'ils font, le kangourou comprend qu'il est obligé de rester s'il ne veut pas perdre ses amis.

— Eh bien super ! dit-il avec un

profond soupir. Je crois que je vais passer des vacances géniales !

Le soir, après un repas où les PetShop ne parviennent pas à faire sourire le kangourou, Bob gagne à coups de béquilles sa grande et belle chambre. Entassés dans le dortoir, les autres PetShop préparent la journée du lendemain.

— Il exagère, quand même, grogne Ludivine. Il s'est pris la grande chambre pour lui et il nous met tous dans le dortoir !

Mais Hugo défend son ami :

— Tout le monde a ses défauts. Je vous ferais remarquer qu'on est bien contents que Bob organise toujours tout !

Les PetShop admettent que c'est vrai. D'ailleurs, c'est très amusant de dormir tous ensemble dans le dortoir. Et puis, de toute façon, ce qu'ils veulent, c'est que Bob passe quand même de bonnes vacances… et eux aussi, par la même occasion.

— Il peut faire de la luge avec Pauline, suggère Roméo. Il suffit qu'elle aille doucement…

— J'irai doucement, assure Pauline.

Le lendemain matin, les amis

de Bob annoncent au kangourou qu'il va faire de la luge sur le ventre de Pauline.

— De la luge ? s'écrie Bob. Mais c'est nul, la luge !

— Fais une descente avant de décider que c'est nul ! conseille Hugo.

Il faut bien une demi-heure aux PetShop pour faire enfiler à Bob ses après-skis. Malgré le pansement, sa patte foulée peut rentrer dans sa botte, mais le kangourou pousse des hurlements dès qu'on le touche. Enfin, les après-skis sont mis, Bob est hissé sur le dos de Hugo et le petit groupe arrive en bas de la piste.

Accompagné des autres PetShop, le cheval gravit la pente avec Bob sur le dos. Il arrive en haut, exténué. Bob, lui, n'est pas fatigué. Du moins, il a assez d'énergie pour continuer à râler. Sans répondre à ses remarques désagréables, les trois garçons le descendent du dos de Hugo et l'installent sur le ventre de Pauline qui s'est mise à l'envers pour glisser sur sa carapace.

— C'est parti ! crie Pauline en appuyant avec sa patte pour démarrer.

Le souffle suspendu, les autres PetShop scrutent le trajet de la tortue et du kangourou jusqu'en bas. Apparemment, tout se passe bien. Ils se dépêchent de descendre la pente à leur tour en marchant tant bien que mal dans l'épaisse couche de poudreuse.

— Alors ? demandent-ils tous en chœur en arrivant devant la luge qui s'est remise sur ses pattes.

Assis dans la neige, Bob hausse les épaules :

— C'est nul, la luge ! Ce que je veux faire, c'est du snowboard.

— Et moi, je veux aller sur Mars ! se moque Sylvain.

— Tu ne peux pas faire du snowboard, Bob, rappelle gentiment Hugo. Tu le sais bien.

— Évidemment, que je le sais ! crie le kangourou. Bon, dit-il, je veux bien que tu m'emmènes sur ton dos jusqu'au village. Je voudrais aller m'acheter quelques magazines…

Trop heureux de faire plaisir à son ami, Hugo accepte aussitôt. Quelques instants après, le kangourou s'éloigne sur le dos de son ami, tandis que les autres PetShop se disent qu'ils vont pouvoir skier un peu pendant ce temps. Mais à peine ont-ils le temps de retourner au chalet pour prendre leurs skis et les porter jusqu'au remonte-pente qu'ils voient déjà réapparaître les deux PetShop ! Bob a l'air de plus mauvaise humeur que jamais. Quant au pauvre Hugo, il semble bien fatigué…

— Qu'est-ce qui s'est passé ?

demande Roméo en posant ses skis.

— Il trouve que je ne vais pas assez vite, soupire Hugo.

— Ce n'est pas un cheval, mais un escargot…

— Quel humour ! plaisante Sylvain. Je n'aurais pas fait mieux…

Mais décidément, rien ne fait rire Bob.

— Il me faudrait une moto des neiges, dit le kangourou. Au moins, ça va vite…

— Je vais me renseigner, acquiesce Hugo.

Mais la souris s'interpose :

— Arrête, Hugo ! Comment veux-tu qu'il conduise une moto avec sa patte ? Bob va te faire tourner en bourrique !

— Ce qui est un comble pour un cheval ! ajoute le singe.

Tous les PetShop éclatent de rire, sauf Bob, bien entendu.

— J'ai froid, dit-il en mettant ses pattes dans sa poche.

— Tu veux rentrer au chalet ? demande Ludivine.

— Non. Je veux faire de la moto.

Les PetShop regardent leur ami, perplexes.

— J'ai une idée, suggère Roméo. On pourrait faire une partie de boules de neige, ça te réchaufferait ! Dans la première équipe, il y aurait Sylvain, Pauline et Ludivine. Dans l'autre, Bob,

Hugo et moi. Bob, tu monterais sur le dos de Hugo, et moi, je te ferais des boules de neige que tu mettrais dans ta poche pour les lancer. Comme Hugo court plus vite que nous tous, tu aurais un sacré avantage…

— Bon, si ça peut vous faire plaisir ! accepte le kangourou en soupirant profondément.

La partie de boules de neige commence… et finit très vite. Bob se prend une grosse boule de neige en plein museau, ce qui le vexe horriblement :

— C'est ta faute, Hugo ! Tu n'es pas un cheval, mais un escargot ! C'est bien ce que je disais…

Soudain, Hugo en a assez. Il plie

les genoux et s'abaisse :

— J'en ai plein le dos. Descends !

— Mais, proteste Bob. Je…

Il n'achève pas sa phrase. Hugo se penche sur le côté et le fait basculer dans la neige.

— Ma patte ! hurle le kangourou.

En quelques instants, c'est la bataille entre tous les PetShop. Mais pas la bataille de boules de neige ! Tout le monde se dispute. Les nerfs lâchent ! Même les deux filles commencent à se lancer des noms d'oiseau à la tête…

— Puisque c'est comme ça, dit Ludivine, je prends le premier train.

— Moi aussi, ajoute Roméo, vous n'êtes vraiment pas cool, les PetShop !

Tous les autres annoncent aussi leur décision de repartir. Le seul qui ne se prononce pas… c'est Bob. Tournant le dos, Hugo repart vers le chalet en laissant les autres se débrouiller.

— Mais comment je fais, moi ? gémit Bob.

En croisant leurs pattes, Roméo et Sylvain fabriquent une chaise à porteur sur laquelle ils font asseoir le kangourou. Le petit groupe rentre au chalet en silence, à part Bob qui, gêné, demande sans arrêt à Roméo et à Sylvain s'il n'est pas trop lourd. En arrivant au chalet, tout le monde se met à faire ses bagages, sous les regards consternés du kangourou.

— Stop ! crie-t-il soudain en agitant une béquille en l'air. Écoutez-moi tous !

Interdits, les PetShop s'immobilisent.

— Je m'excuse, commence le kangourou. Tout ce qui arrive est ma faute. J'ai fait mon PetShop gâté. Je vous promets qu'à partir de maintenant, je serai le plus agréable des blessés...

Il y a un petit temps de silence.

— Poil au nez ! ajoute Sylvain.

— Je dirais même mieux, poil au pied ! rectifie Bob.

Tous les PetShop éclatent de rire. En un instant, tout le monde est réconcilié. Et vous savez quoi ? Non seulement Bob tient parole, mais pour passer le temps pendant que ses amis font du ski, il se met à éplucher les patates, à écosser les petits pois et même à trier les lentilles !

Mélodie

Quand, ce jour-là, Nora voit arriver Mélodie à la boutique, elle comprend tout de suite que la biche a enfin obtenu ce qu'elle désirait.

— Il a dit « oui », je parie…

— Ouiiii ! s'écrie Mélodie en se

jetant au cou de sa patronne. On se marie en février prochain, le jour de la Saint-Valentin, la fête des amoureux ! Youpi !

— Toutes mes félicitations, ma chérie ! s'écrie chaleureusement Nora. Je te souhaite de tout mon cœur d'être heureuse et d'avoir beaucoup de petits PetShop !

— J'en veux au moins quatre, répond Mélodie en comptant sur les doigts de sa patte. Deux garçons et deux filles !

— Une biche et un tigre… ils seront ravissants, dit Nora.

Bien que Nora, une jolie chienne toute frisée, soit la propriétaire de « PetShop à la mode », la boutique de prêt-à-porter où travaille

Mélodie, les deux PetShop sont de grandes amies. Plus âgée, Nora est un peu comme une grande sœur pour la biche qui se plaint souvent de son tigre, un peu trop terre à terre à son goût.

— Euh, tu me donnes carte blanche ? lance Nora à Mélodie d'un air mystérieux.

— Pour quoi faire ? demande Mélodie.

— Pour ton enterrement de vie de jeune fille ! Passage obligatoire avant la vie de PetShop mariée…

— D'accord ! Je serai enchantée d'enterrer ma vie de jeune fille, crois-moi !

Toute la journée, la jeune vendeuse annonce la bonne

nouvelle à chaque PetShop qui vient dans la boutique. Toutes les clientes sont très contentes pour elle, même si, dans son excitation, Mélodie les pique parfois avec une aiguille pendant les essayages…

À la fin de la journée, au moment où la boutique va fermer, une voiture décapotable s'arrête devant la porte en klaxonnant.

— C'est Étienne ! s'exclame Mélodie en faisant des petits sauts de biche.

Nora sort à son tour sur le pas de la porte. Elle a déjà rencontré Étienne, mais le connaît peu. Tout ce qu'elle sait de lui, c'est qu'il est élagueur d'arbres et passe sa vie perché entre les branches, une tronçonneuse entre les pattes, ce qui n'est pas très pratique pour répondre à tous les textos que Mélodie lui envoie. C'est une des choses qui agacent la biche : son chéri ne répond pas toujours à ses textos…

— Mon amour ! s'écrie Mélodie en se jetant au cou d'Étienne qui descend de voiture. Comme c'est gentil d'être venu me chercher…

— C'était sur ma route, répond le tigre avec franchise. Je devais passer à l'atelier d'aiguisage pour ma tronçonneuse.

— Ah ! fait Mélodie, un peu déçue. Bon, tu m'emmènes faire

un tour ? J'irais bien prendre un verre près de la rivière.

— Écoute, je dois me doucher. J'ai transpiré toute la journée.

— Comme tu veux…

Le tigre avance sa patte pour serrer celle de Nora.

— Au revoir, Étienne ! Au plaisir ! À demain, Mélo !

— À plus tard, Madame, bonne soirée. Tu viens, Mélo ?

Mélodie se fige.

— Tu… tu m'as appelée Mélo.

— Et alors ? Tout le monde t'appelle Mélo…

— Justement ! couine la biche.

Le tigre pousse un soupir.

— Ce n'est pas un gros mot, quand même…

Dans un silence lourd de reproche, Mélodie s'installe dans la décapotable.

— Ne fais pas la tête, lui dit le tigre. Tu sais bien que je suis un gros maladroit ! Je te demande pardon…

Mélodie retrouve le sourire.

— D'accord, je te pardonne. Mais ne m'appelle plus Mélo, je t'en supplie.

— D'accord, Mélo… die.

Sur le pas de la porte, Nora adresse un grand sourire encourageant à la jolie biche.

Quand la décapotable disparaît, la petite chienne pense pendant un long moment aux futurs mariés. Il va falloir que Mélodie soit un peu plus tolérante, sinon la lune de miel risque d'être de courte durée !

Le lendemain, quand la jeune biche arrive à la boutique, elle n'a pas l'air aussi joyeuse que la veille.

— Je divorce ! annonce-t-elle.

— Mais tu n'es pas encore mariée !

Nora ouvre les bras pour recevoir la biche qui éclate en sanglots.

— Qu'est-ce qui ne va pas, ma chérie ? demande doucement la petite chienne. Étienne t'a encore appelée Mélo ?

— Non, enfin oui. En plus, il a oublié de me donner la patte dans la rue !

— Il est distrait. Ça ne veut pas dire qu'il ne t'aime pas !

— Oui, renifle Mélodie, je sais qu'il m'aime. Il cherche toujours à me faire plaisir, il répare tout dans la maison, il m'emmène au restaurant, il ne regarde jamais une autre PetShop dans la rue…

—Alors tu vois ! C'est l'essentiel.

— Oui, mais il ne me prend jamais par la taille dans la rue comme les vrais amoureux. Et tu ne connais pas le pire…

—Non ? répond Nora en ouvrant de grands yeux.

— Parfois, il oublie même de

m'embrasser sur le museau pour me dire bonjour ou au revoir. Il m'embrasse sur les deux joues !

Pour le coup, Nora se met à rire :

— Tu le lui as dit ?

— Non ! dit Mélodie. Ça se fait naturellement quand on est amoureux…

— Tout le monde n'est pas pareil, Mélo. Tu ne crois pas que tu es un peu exigeante sur les bords ?

— Moi ?

— Oui, toi ! Je me souviens de la grosse crise que tu as faite parce que Étienne avait invité plein de monde pour ton anniversaire, alors que tu avais envie d'un dîner aux chandelles en amoureux !

— Mais c'est normal ! répond Mélodie. Quand on est amoureux, on dîne aux chandelles, on se donne des petits noms gentils comme « ma beauté », « ma biche en sucre », « ma puce à moi », on s'envoie des petits mots d'amour toute la journée, on se tient par la patte dans la rue et on se regarde dans le blanc des yeux pendant des heures !

— Hum, dit Nora en riant, c'est bien connu : les garçons et les filles sont très différents. En général, les garçons sont un peu moins romantiques... Ce qui ne veut pas dire qu'Étienne ne t'aime pas. Il pense à toi. D'ailleurs, il se marie pour te faire plaisir...

— Justement, se lamente Mélodie, je ne voudrais pas que ce soit pour *me* faire plaisir, mais parce que ça lui fait plaisir à *lui*...

— Tu en demandes peut-être beaucoup. Es-tu sûre d'être la future mariée parfaite, toi ?

— Mais oui !

Nora sourit :

— Dans ce cas, je serai heureuse de te remettre un diplôme de parfaite future mariée... si tu réussis les épreuves !

Dans les jours qui suivent, comme ce sont les soldes, les deux PetShop n'ont pas beaucoup l'occasion de parler, tant il y a de monde dans la boutique. Nora s'assure juste que le mariage est toujours d'actualité avant de commencer les préparatifs de l'enterrement de vie de jeune fille de Mélodie. Bien que la biche se plaigne toujours d'Étienne, elle semble bien décidée à se marier avec lui.

— J'espère que tu es libre le 30, lui annonce Nora un beau jour. On passe te chercher chez toi dans la soirée…

Le 30 au soir, Mélodie se tient prête. Recroquevillée au fond de son canapé, elle est furieuse. Le tigre ne semble absolument pas s'intéresser à leur mariage. Il n'a même pas encore cherché une maison pour s'installer, même pas réservé une salle, même pas commandé un traiteur et même pas lancé les invitations ! Et quand elle lui demande combien il voudrait de garçons d'honneur, il a l'air de se moquer éperdument de la question !

Soudain, un fracas de casseroles entrechoquées, accompagné de sons de trompettes discordantes, fait sursauter Mélodie. Elle saute de son canapé et découvre devant chez elle un tracteur tirant une charrette dans laquelle se trouvent

Nora et une demi-douzaine de ses amies. La charrette est décorée avec des fleurs et il y a un trône au milieu pour la future mariée.

— Mélo ! Mélo ! Mélo ! scande en chœur la bande de joyeuses Petshop dans un micro.

— Oh la la, elles sont déchaînées ! dit la biche, effrayée, quand ses amies entrent comme un tourbillon dans sa maison.

Les PetShop s'esclaffent :

— On t'a préparé de supers activités ! On va commencer par te mettre ta robe de mariée, dit Nora en brandissant un grand sac plein de rouleaux de papier toilette.

Un quart d'heure plus tard, la biche est revêtue d'une robe de mariée d'un genre particulier…

— Elle est jetable, indique Nora. Si tu n'as pas ton diplôme, on la déchirera…

Peu après, Mélodie est installée sur le trône et c'est parti pour une petite promenade à travers la ville ! Tous les PetShop sortent de leur maison ou s'arrêtent dans la rue pour regarder passer la future mariée, entourée de ses amies qui font un tapage d'enfer avec leurs casseroles, leurs trompettes et leurs annonces dans le haut-parleur.

— Attention, Mélodie, commence Nora, tu vas tirer des questions. Ces questions concernent Étienne, ton fiancé. On veut voir si tu le connais bien. C'est parti !

Un peu inquiète, Mélodie tire une première question dans la boîte que Nora lui tend.

— Lis-la-nous dans le micro. Tout le monde veut en profiter.

Mélodie s'exécute :

— Quel est le groupe de musique préféré d'Étienne ? Euh, réfléchit la biche, les Rolling PetShop ?

— Non, c'était les CocciPetShop, répond Nora.

Tous les PetShop dans la rue crient un « hou ! » retentissant. Mélodie tire un autre papier :

— Quel est le film préféré d'Étienne ? Eh bien, je dirais... *Mission PetShop impossible* ?

— Non, c'était *Petshop des Caraïbes* !

« Hou ! » crient de nouveau les PetShop.

Mélodie tire un troisième papier :

— Quelle est la couleur préférée d'Étienne ? Le rouge ? propose la biche.

— C'était le vert…

La question suivante que Mélodie tire est : « Quel était le surnom d'Étienne quand il était petit ? », mais cette fois-ci, Mélodie n'en a vraiment aucune idée. Et pas plus de son expression favorite, de ce qu'il mange au petit déjeuner et de son objet porte-bonheur…

— Je suis désolée, annonce Nora à Mélodie quand la charrette est revenue à son domicile, tu n'as pas droit à ton diplôme de parfaite future mariée…

À la grande stupeur de ses amies, la biche éclate en sanglots.

— Vous avez raison, se lamente-t-elle, je suis nulle. Je ne connais rien sur Étienne, je ne m'intéresse qu'à moi…

Nora entoure de ses bras les épaules de la biche :

— Ça peut s'arranger : tu as droit à un gage de rattrapage !

— C'est quoi le gage ? dit Mélodie, en reniflant.

— Aller chanter une chanson

d'amour à ton tigre sous ses fenêtres en lui disant tout ce que tu aimes chez lui…

Mélodie se met au travail. Pendant des heures, elle compose sa chanson dont les strophes s'allongent et s'allongent, tant elle a de belles choses à dire sur son tigre à mesure qu'elle écrit.

Quelle n'est pas la surprise d'Étienne quand il entend la douce voix de sa chérie en bas de son balcon ! Il en a les larmes aux yeux. Quand la chanson est finie, il court vers elle, et vous savez quoi ? Il l'appelle « ma petite biche en sucre », la prend par la taille et entraîne sa future épouse toujours vêtue de sa robe de mariée en papier toilette

dans une promenade romantique
au clair de lune !

FIN

Les prochaines aventures des PetShop sont en Bilbiothèque Rose, bien sûr !

tome 9 : Clémence ment
tout le temps

tome 10 : Emma n'aime
pas partager

Pour tout connaître sur ta série préférée, va sur le site :
www.bibliotheque-rose.fr

Les PetShop ont toujours des

tome 1 : Charlie est jaloux

tome 2 : Basile est complexé

tome 3 : Gustave regarde trop la télé

tonnes d'histoires à te raconter !

tome 4 : Valentine est amoureuse

tome 5 : Jules fait son chef

tome 6 : Lucie a un admirateur secret

tome 7 : Anne est paresseuse

Comment est-ce que tu imagines ton PetShop ?

C'est plutôt un chat ou une lapine ?
Est-ce qu'il a des plumes ou des poils ?
Et ses oreilles, est-ce qu'elles sont comme celles de Valentine
la biche ou comme celles de Melchior le hamster ?
Sur cette page, tu peux décrire le PetShop de tes rêves...
N'oublie pas de lui donner un prénom !

_____

_____

_____

_____

_____

_____

_____

_____

_____

_____

_____

_____

_____

_____

_____

Maintenant que tu as décrit en détail
ton PetShop, tu peux le dessiner dans ton livre.
Il y a de la place juste ici !

Table

Imprimé en Roumanie par G. Canale & C S.A.
Dépôt légal : février 2012
20.20.2761.3/01 ISBN : 978-2-01-202761-9
Loi n° 49956 du 16 juillet 1949
sur les publications destinées à la jeunesse